Mi hermana mágica

Mabel gana el premio

ANNE MAZER

ILUSTRADO POR BILL BROWN

SCHOLASTIC INC.

New York Toronto London Auckland
Sydney Mexico City New Delhi Hong Kong

A Susan Weber Tranchina y a sus estudiantes de tercer grado

Originally published in English
as *Sister Magic: Mabel Makes the Grade*
Translated by Karina Geada

ISBN 978-0-545-23990-5

12 11 10 9 8 7 6 5 4 3 2 1 10 11 12 13 14 15/0

Printed in the U.S.A. 40
First Spanish printing, September 2010

Capítulo uno

Era el primer día de clases. Mabel estaba en su cuarto con una larga lista en sus manos. A medida que leía cada punto de la lista, iba haciendo una marca al lado.

—Papel nuevo, carpetas nuevas, borradores nuevos, mochila nueva. Listo.

»Libros leídos durante el verano, listados por orden alfabético. Listo.

»Lápices con puntas afiladas y ordenados por colores en el estuche nuevo. Nueva caja de crayones. Listo.

»Lista de las cosas que hice en las vacaciones de verano; primera, segunda y tercera parte. Listo.

»Cepillo y cinta para el cabello. Cara lavada. Uñas limpias. Dientes cepillados. Listo.

»Blusa blanca y falda a cuadros. Listo. Ropa interior para cada día de la semana: lunes. Listo.

Mabel suspiró satisfecha. Estaba lista para comenzar el tercer grado. Como siempre, estaba lista para todo.

Este año su maestra era la Sra. Worthing, una maestra muy estricta que ponía muchas tareas y exigía un buen comportamiento de sus estudiantes.

Mabel había escuchado que la Sra. Worthing nunca daba buenas notas, pero ella se había propuesto alcanzarlas.

Este año, Mabel no sólo pretendía obtener A en todos los exámenes, sino una calificación E, de excelente, por su esfuerzo, cooperación y actitud.

Mabel quería ser la mejor estudiante de la clase.

La puerta se abrió. Violeta, la hermanita de Mabel, entró en el cuarto.

—Ya estoy lista para comenzar el kindergarten —anunció.

Mabel suspiró.

Violeta vestía una camiseta de lunares verde lima, pantalones azul verdoso, medias rosadas y zapatillas deportivas anaranjadas con cordones azules.

Su cabello estaba peinado por delante, pero revuelto por detrás.

Las uñas de una mano estaban pintadas con esmalte anaranjado brillante y las de la otra, con esmalte púrpura.

Violeta parecía una cesta de Halloween, llena de caramelos brillantes de muchos colores. O una caja de crayones mágicos que hubiera explotado.

¡Y Mabel tenía que llevarla a la escuela! Le echó un vistazo al reloj. Todavía había tiempo de que Violeta se cambiara.

—¿Quieres que te ayude a escoger otra camiseta? —sugirió Mabel.

—Me gusta esta —dijo Violeta—. Es preciosa.

—A lo mejor otras zapatillas se verían más lindas —dijo Mabel.

—No creo —dijo Violeta.

—¿Y unas medias azules para que combinen con el pantalón? —trató de convencerla Mabel.

Violeta negó rotundamente con la cabeza.

Mabel intentó llenarse de paciencia y contó en silencio hasta diez. Luego, buscó el cepillo.

—¿Te arreglo el cabello? Está un poco despeinado por detrás —dijo, acercándose a su hermana—. Tú no querrás ir a la escuela con ese enredo tan feo, ¿verdad?

—A mí me gusta —insistió Violeta.

—Está bien—. Mabel se dio por vencida y tiró el cepillo sobre la mesa de noche.

Las dos hermanas bajaron las escaleras.

Su mamá las estaba esperando en la sala con una cámara digital en una mano y un montón de pañuelos desechables en la otra.

—Es el primer día de kindergarten de Violeta —dijo sacudiéndose la nariz—. Mi pequeñita ya es grande.

Violeta comenzó a saltar.

—¡Tengo cinco años! —gritó—. ¡Ya soy grande!

—Estoy muy orgullosa de las dos —continuó la mamá—. Mabel, te ves perfecta.

El rostro de Mabel se iluminó. La verdad es que se había esforzado mucho para lograr esa perfección.

—Y Violeta, ¡tú luces adorable!

El rostro de Mabel se apagó. Violeta no se había esforzado por lograr nada. Simplemente hizo lo que quiso.

¿Adorable? Esa no sería la palabra que ella usaría para describir a Violeta.

Palabras como *desordenada*, *gritona*, *pesada* y *loca* eran las que le venían a la mente cuando pensaba en su pequeña hermana.

Su mamá le tomó un par de fotos a Violeta y se detuvo para sacudirse la nariz.

Después, tomó la cámara y apuntó hacia Mabel.

—¡Sonríe! —dijo con sus ojos llenos de lágrimas—. ¡Hoy es el primer día de clases!

Mabel intentó lucir feliz ante su mamá.

Ella adoraba la escuela. Pero este año, Violeta también iría.

Mabel tendría que caminar a la escuela junto a una caja de crayones con pies.

Sin contar que Violeta normalmente interrumpía a las personas, decía cosas extrañas y no prestaba atención.

Y no hablemos de que tenía poderes mágicos.

Mabel trató de no pensar en eso, especialmente en su primer día de clases.

Confiaba en que Violeta mantuviera su magia oculta: en casa, en su cuarto, en la oscuridad.

Mabel deseaba aparentar que Violeta era la hermanita de otra persona.

Ella estaba lista para el tercer grado, pero no para Violeta.

Capítulo dos

—¿Recuerdas las reglas que te enseñé? —preguntó Mabel al acercarse a la entrada de la escuela.

—¿Reglas? Me las sé todas —dijo Violeta—: Cepillarse los dientes después de comer. No dejar nada en el plato. No tirar comida a los demás.

—Esas son las reglas de la casa, Violeta. Te estoy hablando de las reglas de la escuela.

Violeta se mordió el labio.

—Ummm, ¿compartir los juguetes?

—Exacto —dijo Mabel—. ¿Sabes alguna más?

—Decir el A, B, tres.

—A, B, C —rectificó Mabel—. Y eso no es una regla, Violeta; es el alfabeto.

—¡Oh! —dijo Violeta muy bajito, mientras agarraba la mano de Mabel—. ¿El kindergarten duele?

—No, Violeta —dijo Mabel—. El kindergarten no duele.

Mabel acarició la mano de su hermanita para tranquilizarla. Violeta era sólo una niñita asustada en su primer día de escuela.

—Todo va a estar bien —añadió Mabel.

Violeta se sintió más aliviada.

—Recuerda —dijo Mabel—, ponte en la fila cuando suene el timbre para entrar al salón. Pide permiso para ir al baño. Levanta la mano cuando quieras hablar.

—Ponerme en la línea cuando suene el baño —repitió Violeta—. Levantar la puerta cuando el timbre pida permiso.

Mabel suspiró.

—Hazle caso a tu maestro, el Sr. Bland. Él te dirá todo lo que tienes que hacer.

—Lo haré —prometió Violeta.

—Perfecto.

Mabel respiró profundo e intentó calmarse, pero de repente sintió un enorme nerviosismo, como si ella fuera para kindergarten y Violeta para tercer grado. Lo que tenía que decir no iba a hacer que Violeta se sintiera mejor... pero ella sí quedaría mucho más tranquila.

—Violeta, tienes que prometerme algo: nada de magia en la escuela. Nunca, ¿me entiendes?

—Está bien, Mabel —dijo Violeta sin prestar mucha atención.

—Nada de pájaros saliendo de pasteles, ni caballitos de juguete galopando alrededor del salón, ni Frisbees cambiando de rumbo a mitad de camino.

—No, Mabel —dijo Violeta contando con los dedos—. No haré nada de eso.

—Tienes que tener cuidado, Violeta —dijo Mabel muy seria—. Imagínate lo que podría pasar si usas tu magia en la escuela.

—¿Qué? —preguntó Violeta intrigada.

—Algo terrible.

Mabel no quería asustar mucho a su hermanita… ¿o sí?

Imaginó qué podría suceder si Violeta liberaba su magia: su hermanita se la pasaría todo el tiempo en la oficina del director, sus compañeros de clase meterían las narices en sus asuntos y tendrían lugar muchísimas reuniones con sus padres.

Violeta se convertiría en la niña más famosa de la escuela, y Mabel pasaría a un segundo plano.

Eso arruinaría su vida.

Mabel escogió sus palabras con mucho cuidado.

—Si mamá se entera, se molestará muchísimo —dijo.

—Ya sé —dijo Violeta—. Nada de magia en la escuela. ¡Lo prometo!

Parecía que estaba hablando en serio.

Mabel apretó la mano de su hermanita. Aunque se vistiera con colores estridentes y se dejara el cabello revuelto, no era del todo mala.

Capítulo tres

—¡Mabel! ¡Violeta! ¡Esperen!

Simone, la amiga de Mabel, se acercó corriendo a ellas. Llevaba su cabello negro trenzado alrededor de la cabeza y sus ojos brillaban tras unos gruesos anteojos azules.

—¿Estás contenta porque es tu primer día de escuela, Violeta? —preguntó Simone.

—Ummm, claro —dijo Violeta mordiéndose un mechón de pelo.

—No te preocupes. En unos años serás más grande y no sentirás ningún miedo —dijo Mabel—. Eso es lo que pasa cuando estás en tercer grado.

Mabel se sentía muy segura de sí misma,

especialmente ahora que Violeta le había prometido que no iba a hacer magia en la escuela.

Simone se acercó a Violeta.

—¿Te contó Mabel sobre el encargado de ayudar a cruzar la calle a los niños?

—¿El encargado? —preguntó Violeta confundida.

Simone le guiñó un ojo a Mabel.

Mabel entendió la seña.

—Él espera a los niños de kindergarten —dijo en un tono misterioso— y entonces...

Violeta abrió los ojos espantada.

—¿Y entonces qué?

—Él... él...

Mabel hizo una pausa, como si no supiera cómo seguir.

Violeta estaba a punto de comenzar a llorar.

—Le regala un lápiz a cada uno —dijo Simone rápidamente—. A veces también les regala globos.

—¿Y me dejará escoger el globo de mi color favorito? —dijo Violeta aliviada.

—Por supuesto —respondió Simone.

—¿Te asustamos, verdad? —Mabel no pudo resistir la tentación de molestar a Violeta un poco más—. ¡Ja, ja!

Violeta miró molesta a su hermana mayor.

—Yo no le tengo miedo a nada.

—Te vi —refutó Mabel.

Iban cruzando la calle. Mabel levantó el pie para subir a la acera, pero tropezó y perdió el equilibrio.

Cuando se dio cuenta, ya estaba en el suelo.

—¿Estás bien? —preguntó Simone.

—Sí —dijo levantándose lentamente y sacudiéndose el polvo—. No me hice daño.

Sólo se sintió ridícula, por supuesto.

Mabel volvió a mirar la acera. Era la misma acera de siempre. Había pasado por ahí cientos de veces.

Pero algo estaba mal. Jamás había tropezado así.

"Será que Violeta...", pensó mientras negaba con la cabeza.

Violeta había acabado de prometerle que no haría magia.

Ella sólo estaba imaginando cosas.

De repente, la acera se iluminó de azul y un momento después regresó a su color normal.

Mabel miró fijamente a su hermana.

Violeta no la miró.

—Tienes que levantar el pie para subir a la acera, Mabel —dijo Simone—. No irle de frente.

—Sí, Mabel —asintió Violeta—. No le tengas miedo a esa tonta acera.

En situaciones como estas, Mabel se hubiera sonrojado o se hubiera burlado de lo que le acababa de suceder. Pero esta vez no sentía vergüenza ni tenía deseos de reírse. Esta vez estaba molesta.

—Tú hiciste una promesa —dijo a Violeta.

—¿Qué promesa? —preguntó Simone.

Mabel no le podía contar a Simone sobre la magia. No se lo podía decir a nadie.

—Seguir las instrucciones y escuchar a su maestro —dijo Mabel.

Simone miró a Mabel como si estuviera loca.

—Nadie entra a kindergarten sabiendo las reglas —dijo Simone—. Déjala en paz.

—Es que quiero que comience bien.

—Te estás preocupando demasiado, Mabel —dijo Simone, pasándole el brazo por encima a Violeta—. Nuestra Violeta aprenderá todo lo que necesite saber.

Violeta le sacó la lengua a Mabel.

—Ja, ja.

"No debí haberme burlado —pensó Mabel—. Pero ella tampoco debió haber hecho magia".

Suspiró. Iba a tener que olvidar este incidente.

Y lo podía hacer, siempre y cuando esta fuera la última magia que viera en el día.

Capítulo cuatro

Mabel estaba sentada correctamente, con la espalda recta y los brazos cruzados al frente.

Su maestra, la Sra. Worthing, se paró frente a la clase con una tiza blanca en la mano.

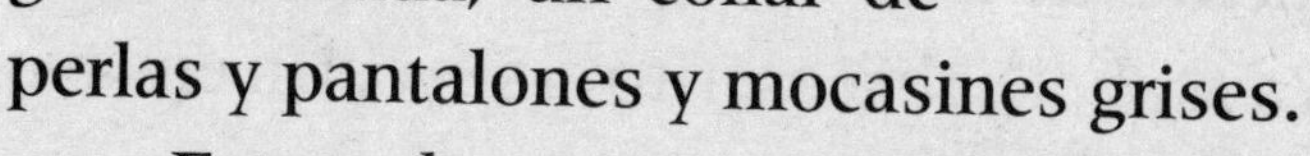

Llevaba su cabello corto, muy formal. Vestía una blusa gris entallada, un collar de perlas y pantalones y mocasines grises.

—Esto es lo que espero para el comienzo del año escolar —dijo la Sra. Worthing—. Primero, un cuaderno para cinco materias.

Los estudiantes comenzaron a buscar en dónde anotar. Sólo Mabel permaneció sin moverse.

Ya tenía un cuaderno para cinco materias.

—Un ensayo sobre lo que hicieron durante las vacaciones de verano, para entregar al final de la semana —continuó la Sra. Worthing—. No más de cinco páginas, ni menos de tres.

Ya Mabel había escrito el suyo. Un ensayo de cuatro páginas y media.

—Asegúrense de revisar la gramática y la ortografía —dijo la Sra. Worthing.

Ya Mabel lo había hecho.

—Y quiero buena caligrafía, en tinta negra o azul.

Eso no había ni que decirlo. Mabel jamás escribía con tinta rosada, dorada, amarilla o plateada. Y su caligrafía siempre era impecable.

—Además, necesitan leer tres capítulos de este libro antes del próximo lunes —dijo mostrando una novela de cubierta blanda.

Ya Mabel lo había leído.

El tercer grado estaba comenzando de manera excelente.

—¿Por qué no anotas nada? —preguntó la niña de la mesa del lado, inclinándose sobre Mabel.

—Ya lo hice todo —respondió Mabel.

La niña abrió los ojos asombrada.

—Pero… —exclamó la niña—. ¿Cómo lo hiciste?

—Me preparé —dijo Mabel sin darle mucha importancia a lo que acababa de decir.

—¿No te gustaría que la Srta. Toby fuera nuestra maestra? —preguntó la niña.

—No —dijo Mabel.

La Srta. Toby era la otra maestra de tercer grado. Le gustaba cantar en clase y se vestía con túnicas blancas y pantalones anchos de colores estridentes.

Sus alumnos se sentaban en círculos en lugar de filas. Hacían "trabajo en equipo" y no recibían calificaciones sino reportes de crecimiento personal.

La Sra. Worthing no hacía nada de eso.

No era una maestra mala sino estricta. Además, tenía grandes expectativas. Y si alguien podía cumplirlas, esa estudiante era Mabel.

Estaba preparada para el desafío.

La Sra. Worthing bajó la tiza.

—¿Alguna pregunta?

Se hizo un breve silencio en el salón.

—Perfecto —dijo la Sra. Worthing—. Ahora les voy a hacer una pequeña prueba.

La clase se quejó.

—Esta nota no contará para el promedio —dijo—. No esta vez. Sólo quiero ver cuán bien escriben y leen.

La niña miró a Mabel.

—¿Ves? Te lo dije.

—No te preocupes —dijo Mabel—. Esta calificación no cuenta.

Mabel tomó un papel y un lapicero de tinta azul.

A Mabel le encantaba la escuela. Le encantaban las pruebas. Le encantaban los trabajos de clase difíciles y los maestros estrictos.

En la escuela, uno más uno siempre es igual a dos.

La letra C siempre va después de la B y antes de la D. Simplemente no puede cambiar de lugar y decidir estar al lado de la Z o la M o la Q.

Si contestas mal una pregunta, la maestra te quitará puntos. Si sabes todas las respuestas, recibirás un cien o una A+.

La escuela es un lugar seguro y predecible. Y a Mabel le gustaba porque siempre sabía lo que vendría después.

Capítulo cinco

—Aquí están mis amores. ¿Cómo les fue el primer día de clases?

El papá de las niñas estaba detrás del mostrador atendiendo a sus clientes.

Les sonrió a Mabel y a Violeta.

—Lo respondí todo correctamente en la prueba que puso la Sra. Worthing —dijo Mabel con orgullo.

—Felicidades, cielo —dijo su papá—. Yo sabía que sería así. ¿Y cómo te fue a ti, Violeta?

—Me perdí cuando fui al baño —dijo Violeta.

Mabel miró a su hermana asombrada.

—¿En serio?

—El conserje me encontró —continuó Violeta—. Y me enseñó un atajo secreto a través de la cafetería. La muchacha de la cafetería me regaló una banana.

—Toda una aventura —dijo su papá.

—Mi maestro, el Sr. Bland, tiene un bigote —dijo Violeta—. ¿Cuándo vamos a tomar helado?

—Pronto —dijo su papá mientras sumaba números en la computadora—. Son noventa y ocho dólares, con el descuento —dijo al cliente que tenía delante—. Enseguida las atiendo —dijo a Mabel y a Violeta.

—No te apures, papá. Violeta y yo vamos a echarles un vistazo a los nuevos suéteres.

Mabel ya los había visto cuando llegó a la tienda.

—Yo no quiero ver los suéteres nuevos —dijo Violeta.

—Entonces siéntate aquí —dijo Mabel señalando un banco de madera.

—No.

Mabel suspiró.

—¿Quieres jugar a la escuelita? Yo seré la maestra.

—Tú *siempre* quieres ser la maestra.

—Sólo esta vez —dijo Mabel—. ¡Por favor!

—Bueno, está bien —dijo Violeta dejándose caer en el banco—. Ponme alguna tarea.

Mabel cruzó el pasillo.

—Dime los colores de estos suéteres.

—Amarillo, rojo, anaranjado, blanco, verde, azul —dijo Violeta.

—Muy bien.

Mabel tocó el suave tejido de la tela y se felicitó a sí misma por tener la estupenda idea de hacerle creer a Violeta que se trataba de un juego y no que estaban estudiando.

—Ahora cuenta los colores.

—Uno, dos, cuatro, tres...

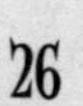

—El cuatro va después del tres —rectificó Mabel.

Si decidía cuál color de suéter le gustaba más, a lo mejor su papá le llevaba uno a casa. Todos estaban preciosos.

Su sonrisa se desvaneció. Los suéteres comenzaron a moverse. Las mangas subían y bajaban sin parar.

Mabel se dio la vuelta y gritó:

—¡Violeta!

Su hermanita estaba sentada en el banco, moviendo las piernas.

—¿Qué?

—¡Para ya!

Los suéteres siguieron moviéndose.

—Me prometiste que íbamos a jugar a la escuelita —dijo Violeta.

—Está bien —dijo Mabel.

Los suéteres se detuvieron y cayeron de golpe sobre la mesa.

Mabel corrió a organizarlos.

—No necesitas doblar los suéteres, cielo —dijo su papá—. Aquí las cosas se desordenan rápidamente.

—Está bien, papá —dijo Mabel.

Miró a Violeta. Su hermanita estaba contando las listas de la ropa interior.

Hubiera querido decir: "Fue culpa de Violeta, estaba haciendo magia", pero no lo hizo.

Algún día, no tan lejano, le contaría todo a su papá. Pero le había prometido a su mamá no decir nada sobre la magia... a *nadie*.

La magia venía por parte de la familia de

la mamá de Mabel. Ella la odiaba y le temía. A lo mejor a la mamá de Mabel también le daba un poco de vergüenza. Por eso nadie más sabía de la magia, ni siquiera el papá de Mabel.

Mabel hubiera deseado no ocultarle el secreto a su papá. Pero una promesa era una promesa.

No podía decir nada.

Su papá buscó en sus bolsillos y sacó un billete de cinco dólares.

—Esto es para el helado —dijo—. Vayan a comprarlo. Ahora estoy muy ocupado y no puedo salir de la tienda.

—Está bien, papá —dijo Mabel—. Yo cuido a Violeta.

—Sé que lo harás —dijo su papá—. Esa es mi niña.

Capítulo seis

En cuanto salieron por la puerta, Mabel le preguntó a su hermana:

—¿Cuántas veces tendré que decírtelo? Nada de magia. Mucho menos en la tienda de papá.

Violeta abrió su boca para hablar, pero Mabel no la dejó.

—Sácate eso de la cabeza —dijo—. No tienes excusa, ni justificación. Nada de magia. Prohibido.

—Pero, Mabel —protestó Violeta—, yo hice lo que me pediste.

Mabel miró a su hermanita.

—No hice magia en todo el día en la escuela. ¿Acaso no me porté bien?

—Sí, por supuesto, Violeta —admitió Mabel.

Mabel recordó todas las instrucciones que le había dado a Violeta esa mañana. Su primer día de kindergarten no podía haber sido fácil.

¿Acaso no había cumplido la regla más importante de todas? Violeta no había hecho magia en la escuela.

"¿Qué importaba entonces un poquito de magia en la tienda?", pensó Mabel.

Aquella magia fue inofensiva. Quizás hasta servía para desahogarse.

Mabel dobló los suéteres y respiró profundo.

—Estoy orgullosa de ti, Violeta —dijo—. Hoy hiciste algo muy, muy bueno. No usaste tu magia en la escuela.

Violeta sonrió.

—Entonces, ahora cómprame un helado.

—El que quieras —dijo Mabel—. Cuéntame, qué más hiciste hoy en la escuela.

—Cantar, jugar con bloques, pintar con los dedos.

—Suena muy divertido —dijo Mabel—. ¿Qué fue lo que más te gustó?

—Cantar —dijo Violeta y comenzó a tararear una canción.

Violeta cantaba muy mal, pero Mabel sonrió a su hermanita mientras entraban a la heladería y se acercaban al mostrador.

—¿En qué las puedo ayudar? —dijo la vendedora.

—Para mí, un barquillo de vainilla —dijo Mabel—, con confite de chocolate.

—Y para mí, helado de frambuesa, pistacho y caramelo en un barquillo grande —dijo Violeta—, con confite multicolor.

Mabel puso los cinco dólares sobre el mostrador. La vendedora miró el billete.

—Necesitan otro dólar y cinco centavos —dijo.

Mabel buscó en sus bolsillos, pero estaban vacíos.

—Creo que vamos a tener que tomarnos el helado sin confite —le dijo a Violeta.

—Pero tú me prometiste...

—Sí, pero no me alcanza el dinero.

Mabel se agachó para explicarle a Violeta.

—Ya eres una niña grande. Puedes tomarte el helado sin confite, como yo.

Violeta hizo una mueca. "Helado sin confite..."

—Aquí tienen —dijo la vendedora alcanzándoles los barquillos. ¡Los dos llevaban confite!

Por un momento, Mabel se sintió confundida. ¿Quizás no había pedido correctamente? ¿Qué debería hacer ahora?

La mujer frunció el ceño.

—No recuerdo haberles puesto confite a los helados —dijo—. Y de lo que sí estoy segura es que no lo pagaron.

Mabel se sonrojó.

—Yo...

—A su papá no le gustará si le digo que se robaron los confites.

—Pero no los robamos —dijo Mabel llorando.

Mabel miró a Violeta.

—¿Verdad, Violeta?

Su hermanita tenía confites de todos los colores en la cara y una sonrisa de satisfacción.

—¿Violeta? —repitió Mabel.

Violeta estaba concentrada en su helado.

—Los niños de hoy no respetan —dijo la vendedora.

Mabel extendió su mano con el helado.

—Le devuelvo el mío.

—Ya lo tocaste, tienes que comprarlo —dijo la vendedora.

—Pero no tengo más dinero —protestó Mabel. Volvió a meterse la mano en el bolsillo para estar segura.

Sus dedos sintieron algo frío y redondo. Era una moneda de veinticinco centavos. Y otra más. De pronto, sus bolsillos estaban repletos de monedas.

Miró a Violeta. Sus manos estaban pegajosas. El helado se le escurría por la barbilla.

—Aquí tiene —dijo Mabel soltando un puñado de monedas sobre el mostrador—. ¿Con eso es suficiente?

—¡Y tenías el dinero! —dijo la vendedora molesta—. Y trataste de engañarme.

Mabel tomó la mano de Violeta y salió huyendo de la heladería.

—Violeta —dijo Mabel cuando estaban en la calle.

—¿Ajá? —murmuró Violeta.

—Umm… bueno…

Mabel no sabía si regañarla o agradecerle.

—Gracias —dijo finalmente.

Violeta no respondió. Estaba muy ocupada con su helado.

Mabel probó el suyo. Los confites mágicos de chocolate estaban deliciosos.

Capítulo siete

Había sonado el primer timbre. Ya Mabel estaba sentada en su puesto, respirando los olores de la escuela: tizas, pizarras, libros…

Le echó un vistazo a su lista de la mañana.

Cuadernos nuevos y lápices afilados. Listo.

Libros de la biblioteca en la mochila. Listo.

La blusa por dentro. Listo. Medias hasta las rodillas. Listo.

Perfectamente sentada, con la espalda recta: lista para un nuevo día de clases.

La Sra. Worthing dio unas palmadas para que le prestaran atención.

—¿Están preparados para una pequeña prueba? —preguntó.

—¿Una prueba tan temprano? —protestó un niño.

—Esta será muy divertida —prometió la Sra. Worthing—. Es para la vista.

—¿Nos va a llevar al oculista? —preguntó otro niño.

La Sra. Worthing ignoró el comentario.

—Se trata del poder de la observación —dijo—. ¿Con qué nivel de detalle observan las cosas? Miren todos alrededor del salón. ¿Notan algo diferente?

Mabel levantó la mano inmediatamente. Ella quería una A+ por observación.

Pero en realidad, no notaba nada diferente. Era exactamente el mismo salón del día anterior.

—¿La bandera? —preguntó esperanzada.

La Sra. Worthing negó con la cabeza.

—¿Hay más libros de matemáticas en los armarios? —dijo Mabel—. ¿Puso tizas nuevas en la pizarra?

—No trates de adivinar más, Mabel —dijo la Sra. Worthing—. Mira bien.

Los ojos de Simone se iluminaron tras sus gruesos anteojos azules.

—Lo tengo, Sra. Worthing —dijo.

—A ver, Simone.

—Las paredes están recién pintadas.

La Sra. Worthing sonrió.

—Excelente, Simone —dijo.

Mabel se hundió en su silla. ¡Pero claro! ¿Cómo no lo había notado antes?

—¿Quién sabe lo que es un mural? —continuó preguntando la Sra. Worthing.

Simone levantó la mano. Y Mabel también.

—¿Simone?

—Es una pintura en la pared —explicó Simone.

—Eso era lo mismo que yo iba a decir —dijo Mabel.

—Muy bien —dijo la maestra sonriendo a las dos alumnas.

—Ahora vamos a ver quién levanta la mano —dijo la Sra. Worthing—. ¿Quién quisiera pintar las paredes del salón?

Esta vez casi todas las manos se levantaron.

La Sra. Worthing miró complacida.

—¡Adivinen! Todos vamos a pintar un mural en nuestro salón.

Un murmullo se expandió por toda la clase.

Mabel miró a la niña que no quería estar en la clase de la Sra. Worthing. A lo mejor estaba cambiando de opinión en este momento. Esto era mucho más divertido que todo lo que había hecho la Srta. Toby.

Un niño levantó la mano.

—¿Y vamos a pintar las cuatro paredes?

—¡Todo el salón! —respondió la Sra. Worthing—. Imagínense, un mural que estará aquí muchos años. Generaciones de niños de tercer grado lo verán todos los días. Esto es un inmenso honor. Cada uno de nosotros tiene que dar lo mejor de sí.

Mabel se sentó muy derechita. Separó sus manos y luego volvió a unirlas. Esas eran las palabras que estaba deseando escuchar.

Ella haría su *requetemejor* trabajo en el mural.

Su pincel nunca había goteado. Los colores que escogía para dibujar siempre combinaban. Su trazo nunca se había salido de la línea.

—Necesito voluntarios —dijo la Sra. Worthing.

Mabel levantó la mano inmediatamente.

—Un momento —dijo sonriéndole a Mabel—. Esperen a que yo diga para qué los necesito.

Mabel dejó su mano levantada. La Sra. Worthing necesitaba saber que ella se brindaba de voluntaria para *todo*.

—No seas tan desesperada —susurró Simone.

—¿Y por qué no? —respondió Mabel—. La Sra. Worthing recordará quién levantó la mano primero.

—A lo mejor —dijo Simone—, pero a lo mejor no.

—Ella sabe que yo quiero ayudar —insistió Mabel.

Simone no le hizo caso. Ella nunca se esforzaba tanto y, sin embargo, siempre se llevaba premios y sacaba buenas notas.

Era algo casi mágico. Quizás por eso había hecho tan buenas migas con Violeta.

La Sra. Worthing caminó hacia la pizarra y comenzó a escribir: Necesito alguien que me ayude con los utensilios, los dibujos y las pinturas.

Mabel levantó la mano lo más alto que pudo. Todo esto le parecía magnífico.

—Bueno, Mabel, como te veo tan entusiasmada, te voy a dar una tarea especial.

—Sí, Sra. Worthing —dijo Mabel, dirigiendo una mirada de triunfo a Simone—. *¿Viste?*

—Quiero que seas nuestra coordinadora.

—Por supuesto, Sra. Worthing.

Mabel no tenía idea de lo que significaba ser coordinador, pero le parecía un trabajo importante.

—Después te explico en qué consiste —dijo la maestra.

Mabel asintió con la cabeza. La Sra. Worthing la escogió para ese trabajo. Ella lo iba a hacer muy bien, y eso era lo único que importaba.

Capítulo ocho

La Sra. Worthing tomó una tiza.

—Primero haremos una lista —dijo.

—¡Una lista! ¡Adoro las listas! —exclamó Mabel.

Ella tenía en casa cuadernos repletos de listas. Su papá siempre bromeaba con sus listas porque lo anotaba todo como una niña chiquita.

La Sra. Worthing escribió varias palabras en la pizarra y las subrayó: Lo que hacemos en la escuela.

—Este es el título para nuestro mural —anunció la maestra—. ¿Quién tiene alguna idea?

—Yo —gritó Mabel—. Leemos y escribimos.

—Muy bien, Mabel —dijo la maestra mientras lo escribía en la pizarra negra.

Mabel se sintió satisfecha de que había sido la primera en dar una idea.

—Cantamos el himno —dijo Simone—. Estudiamos el universo. Hacemos volcanes con polvo de hornear.

—Almorzamos en la cafetería —dijo otro niño—. Jugamos en el recreo. Resolvemos problemas de matemáticas.

—Hacemos educación física en el gimnasio —dijo una niña—. Viajamos en el autobús escolar.

—Levantamos la mano para hablar —dijo otro—. Vamos a la biblioteca. Aprendemos sobre otros países.

—Excelente —dijo la Sra. Worthing—. Estas ideas son brillantes.

Mabel sonrió orgullosa, como si todas las ideas hubieran sido de ella.

—¿Cuándo comenzamos a pintar, Sra. Worthing? —preguntó.

—Pronto —dijo la maestra.

Simone levantó la mano.

—¿Podemos pintar lo que queramos?

—Van a trabajar en equipos pequeños. Cada equipo decidirá cuál de estas ideas quisiera dibujar.

Mabel se preguntó cuál de esas ideas impresionarían más a la Sra. Worthing. ¿Una feria de ciencias? ¿Un retrato de los maestros? Ella esperaba que a su equipo se le ocurriera la idea más espectacular.

—Y les tengo otra sorpresa —continuó la Sra. Worthing.

—¿Helado? —dijo un niño.

—¿Una excursión? —preguntó otro.

—He invitado a estudiantes de otros salones para que nos ayuden. Este mural no es sólo para nosotros. Es para toda la escuela. Los más pequeños lo disfrutarán cuando estén en la clase de tercer grado —dijo la Sra. Worthing acercándose a la puerta—. Nuestros artistas invitados llegarán de un momento a otro.

"¿Artistas invitados? —pensó Mabel—. ¿Y por qué no?"

Sonaba muy divertido.

La maestra se volteó hacia Mabel.

—Como coordinadora, tú estarás a cargo de ayudar a los artistas invitados.

—Será un gran placer ayudarlos, Sra. Worthing.

La maestra asintió con la cabeza.

La puerta se abrió. Un grupo de niños pequeños comenzó a entrar.

—Bienvenidos, artistas invitados —dijo la Sra. Worthing—. Muchas gracias por ser parte de este proyecto.

Mabel les sonrió. Ella iba a ser la coordinadora más entusiasta que la Sra. Worthing había tenido.

—Mabel, levanta tu mano para que todos te conozcan —dijo la maestra—. ¿Todos la ven?

—Sí —dijeron los artistas invitados.

—Ella está aquí para responder sus

preguntas y ayudarlos. En un minuto les explico más.

—Pueden preguntarme todo lo que deseen —dijo Mabel.

La Sra. Worthing asintió.

La puerta se abrió nuevamente.

—Otra artista invitada.

Y allí estaban el par de zapatillas anaranjadas, los pantalones azul verdoso y la camiseta de lunares rosados.

Violeta había llegado al salón de tercer grado.

Capítulo nueve

—Genial —dijo Simone—. Llegó Violeta. ¡Qué buena suerte!

"¡Qué mala suerte!", pensó Mabel hundiendo la cabeza entre sus manos.

—Oye —preguntó Simone a Mabel—, ¿cuál es el problema?

—Por favor, ¿la coordinadora puede pasar al frente? —dijo la Sra. Worthing.

Mabel caminó lentamente.

Debía sentirse importante, feliz, entusiasmada y satisfecha. Pero no.

No era justo. Su salón era su refugio privado. Ese era el único sitio donde no tenía que preocuparse por su hermanita y su magia.

¿Cómo se *atrevió* a entrar?

Noooo, suspiró Mabel.

—Mabel les mostrará dónde están los materiales —explicó la Sra. Worthing a los artistas invitados—. Ella los ayudará a buscar delantales para no manchar la ropa, a poner telas en el suelo para no dañarlo y responderá sus preguntas cuando yo esté ocupada.

"También tendré que responder las preguntas de Violeta", pensó Mabel. Su idea de ser coordinadora no incluía a su hermana.

Sin embargo, miró a los niños con una sonrisa.

—¿Tienen alguna pregunta? —dijo y volvió a suspirar.

—¿Por qué estoy aquí? —preguntó Violeta.

Varios niños del salón se rieron.

Mabel puso los ojos en blanco. ¡Qué pregunta tan tonta!

—¿Mabel? —dijo la Sra. Worthing.

—Te ofreciste de voluntaria —dijo Mabel.

—¿Vo-lun-qué? —preguntó Violeta algo confundida.

Mabel sonrió.

—Nos ayudarás con nuestro mural —dijo—. Un mural es una pintura en la pared. Nosotros vamos a pintar estas paredes con escenas de nuestra vida en la escuela.

A Violeta se le iluminó la cara.

—¿Puedo pintar con los dedos?

—No, usaremos pinceles —dijo Mabel—. ¿Algo más?

Los otros niños se quedaron en silencio. Mabel miró a la Sra. Worthing.

—¿Está bien, maestra?

—Gracias por tu excelente explicación, Mabel —dijo—. Ahora puedes sentarte.

—Bien hecho —dijo Simone mientras Mabel se sentaba—. Estuviste fenomenal. ¿Qué te pareció Violeta? ¡Es adorable!

—Ummm —dijo Mabel.

La Sra. Worthing dio un ligero golpe sobre su escritorio.

—Ahora vamos a hacer equipos de tres o cuatro estudiantes. Cada equipo va a tener un artista invitado.

—Espero que Violeta esté en el nuestro —dijo Simone.

—De eso nada —dijo Mabel aterrada.

—Pero ella es tu hermanita.

—Por eso mismo —dijo Mabel.

De repente, le pareció ver colores

moviéndose en las paredes vacías. Mabel los miró fijamente. ¿Sería un reflejo?

Los colores iban tomando forma. El patio de una escuela con niños corriendo apareció en la pared. Y luego apareció la figura del maestro de kindergarten, el Sr. Bland. Llevaba una corbata de lunares y una chaqueta tejida.

"Ay, no", pensó Mabel.

—¡Increíble! —dijo un niño de primer grado.

—Lo último en tecnología —murmuró otro de tercer grado.

—Yo también tengo uno —dijo alguien.

Sólo Mabel sabía lo que estaba pasando.

Nadie podía comprenderlo. Y nadie podría detenerlo.

Excepto una persona.

Capítulo diez

Violeta miraba las pinturas en la pared junto a sus compañeros.

Mabel caminó hacia ella. Sentía que el corazón se le iba a salir.

¿Lo habrá notado la maestra? La Sra. Worthing estaba escribiendo los nombres de los equipos en la pizarra.

De pronto, bajó la tiza un momento.

—Hoy están muy tranquilos —dijo a la clase.

Mabel estaba lo suficientemente cerca de Violeta para darle un pequeño empujón. ¿Podría romper la magia?

—Psss —siseó.

Violeta saltó y las pinturas de la pared comenzaron a borrarse.

Simone caminó hasta su lado.

—¿Viste eso, Mabel?

—¿La tiza? —balbuceó Mabel—. Me encanta escribir en la pizarra, ¿y a ti?

Simone señaló rápidamente a la pared.

—La pizarra no, tonta.

—¿Qué?

Los labios de Simone temblaban.

—Deja de hacerte la tonta. Tú sabes de qué estoy hablando.

—Simone y Mabel, presten atención —interrumpió la Sra. Worthing—. Ustedes van a trabajar juntas. Les voy a asignar a un artista invitado.

—Ay, sí, Sra. Worthing —dijo Mabel—. Ya estoy impaciente.

—Espero que cooperen y se ayuden mutuamente.

—Por supuesto, Sra. Worthing.

—Ven para que conozcas a tus nuevos amigos de tercer grado —dijo la maestra a uno de los artistas invitados—. Mabel y Simone, ella es...

—Violeta —dijo Violeta.

Mabel palideció. O tal vez se sonrojó. No podía respirar. Pensó que se iba a desmayar.

Violeta estaba demasiado cerca para sentirse tranquila, especialmente si se le ocurría hacer magia.

Mabel confiaba en que Violeta sólo había olvidado su promesa por unos minutos.

Pero aunque no volviera a hacer magia nunca más, ya el daño estaba hecho.

Simone se había dado cuenta. Y muchos otros alumnos también.

—¡Violeta! —gritó Simone—. ¡Hurra!

—¿Se conocen? —preguntó la Sra. Worthing.

—Por supuesto —dijo Simone y miró a Mabel.

—Ummm, es mi hermana —balbuceó Mabel.

Violeta abrazó a su hermana por la cintura.

—Ya veo —dijo la Sra. Worthing, observándolas por un rato—. ¿Está bien si las dejo en el mismo equipo?

Mabel hubiera deseado decir que no. Hubiera deseado decirle a la Sra. Worthing que tener a Violeta en su equipo era la peor idea que se le pudo haber ocurrido.

Hubiera deseado suplicarle que enviara a Violeta nuevamente a su salón de kindergarten.

Pero no pudo decir una sola palabra. No con la Sra. Worthing mirándola de esa manera.

Mabel quería una E por su esfuerzo, cooperación y actitud. Y no creía que la Sra. Worthing le daría una sabiendo lo que ella sentía realmente.

—¡Nos encanta que Violeta esté en nuestro equipo! —dijo Simone.

—Perfecto —dijo la Sra. Worthing—. Entonces ya está.

Capítulo once

Después de cenar, Mabel fue al cuarto de Violeta.

—¡Entra! —dijo una voz tímidamente.

Mabel abrió la puerta y se sobresaltó.

Las paredes estaban pintadas de anaranjado, rosado, rojo y turquesa. Las cortinas eran verdes y la cama tenía lunares.

El cuarto llevaba así un tiempo, pero Mabel todavía no se había acostumbrado a tantos colores.

Violeta estaba en su escritorio pegando hojas de otoño en papeles de colores.

—Estoy haciendo una tarea —anunció con orgullo.

—¿Les dan tarea a los niños de kindergarten?

—Estoy haciendo un colegio.

—Querrás decir un *collage* —corrigió Mabel—. Un colegio es una escuela, un *collage* es un proyecto artístico.

—Yo sé —dijo Violeta. Escogió una hoja roja brillante y la torció por el tallo—. Esta hoja es para el colegio.

—*Collage*.

—Colegio.

—¡Como quieras! —Mabel se sentó en la cama de lunares de su hermana—. Violeta, hoy rompiste la promesa.

—Lo siento —dijo, pegando otra hoja en su papel.

—¿Lo sientes? —repitió Mabel—. ¿Y ya? ¡Hiciste magia en mi salón!

—No era mi intención, Mabel.

Las hojas de otoño comenzaron a volar del escritorio, como si una brisa las hubiera soplado.

Mabel se encogió. Un frío inesperado se sintió en el cuarto.

—¿Hay alguna ventana abierta?

De pronto, las hojas comenzaron a volar por el suelo y a deslizarse por debajo del escritorio de Violeta.

—¿Qué está pasando? —dijo Mabel—. ¿Violeta?

Su hermanita subió los hombros.

—Nada. Yo no estoy haciendo nada.

Una lluvia de hojas comenzó a caer del techo.

En cuestión de minutos el cuarto se había inundado. Un mar de hojas había cubierto el suelo, la cama y el librero.

Mabel no podía verse los pies. No veía el escritorio. ¡Ni tampoco a Violeta!

—¡Para ya! —gritó Mabel—. ¡Detén esto!

—¡No sé cómo parar! —sonó la voz débil y distante de su hermanita.

Mabel se llenó de pánico ante el fuerte aguacero de hojas. Su corazón latía sin cesar.

—¡Violeta! —gritó—. ¿Dónde estás? ¿Estás bien?

—¡Buu! —dijo su hermanita saltando de entre el mar de hojas.

—¡Violeta!

Unas cuantas hojas más cayeron en el suelo. Pero la tormenta había cesado.

Mabel se desplomó aliviada sobre una silla.

—Me asustaste —dijo.

—¡Lo siento! —dijo Violeta. Tenía hojas enredadas en el cabello, entre la ropa y hasta en las orejas—. No era mi intención hacerlo, Mabel.

—Si no es tu intención hacer magia, ¿entonces, por qué la haces?

—Es que a veces sucede —dijo Violeta bajito.

—¿Y esas pinturas de hoy en la pared?

Violeta asintió con la cabeza.

Mabel quería regañar a su hermana. Pero en ese momento recordó su primer día de kindergarten. Se había sentido confundida y un poco perdida. Cuando regresó a casa, estaba tan molesta que lanzó su muñeca favorita contra la pared.

A lo mejor eso era lo que le estaba pasando a Violeta.

Excepto que su molestia incluía magia.

Por primera vez, Mabel estaba feliz de que Violeta estuviera en su equipo. Iba a tener que vigilarla muy de cerca.

Si Violeta no podía controlar su magia, Mabel tendría que hacerlo por ella. Si es que era posible.

Capítulo doce

—Hoy tendremos una reunión con nuestros equipos —anunció la Sra. Worthing—. Decidiremos qué pintar en cada parte de la pared.

Mientras la maestra hablaba, Mabel buscaba los delantales y las pinturas. Había comenzado a repartirlos cuando se abrió la puerta.

Los artistas invitados comenzaron a entrar.

—Mabel, muéstrales a los más pequeños cómo se usa un pincel —dijo la Sra. Worthing.

Mabel se levantó orgullosa. Escogió un

pincel grueso y se lo mostró a los niños de kindergarten.

—Presten atención —dijo—. Tú también, Violeta. Lo meten en el pomo, hasta que la pintura cubra la mitad del pincel. Después lo sacan y lo escurren un poco.

Su hermanita lucía pálida y soñolienta. Mabel deseaba que el kindergarten no fuera demasiado para ella. También pensó en la tormenta de hojas de la noche anterior. ¿Será que la magia deja agotada a Violeta?

Esta era una nueva preocupación.

Mabel destapó un pomo de pintura anaranjado y mojó el pincel.

—¡Ay! —dijo.

No había seguido sus propias instrucciones y metió el pincel hasta el fondo del pomo. Cuando lo sacó, estaba totalmente cubierto de pintura anaranjada.

Antes de escurrirlo, la Sra. Worthing tomó el pincel con su mano.

—Así no se hace.

—Lo sé, Sra. Worthing —dijo Mabel—. Cometí un error.

Su corazón se aceleró. ¡Odiaba cometer errores!

La maestra negó con la cabeza.

—Simone, por favor, explícales por qué no se debe hacer así —dijo, sosteniendo el pincel mojado.

—Si el pincel tiene demasiada pintura, puede gotear —dijo Simone—. Se chorrea el mural y mancha la ropa.

Simone miró a Mabel y se encogió de hombros, como disculpándose.

—Muchas gracias, Simone —dijo la Sra. Worthing.

—Sra. Worthing —dijo Violeta alzando la mano—, Mabel lo hizo "docién por ciento" perfecto.

—No, no lo hice bien —dijo Mabel sonrojada.

Violeta sólo estaba empeorando su situación y Mabel quería desaparecer.

La Sra. Worthing asintió.

—Es muy gentil de tu parte defender a tu hermana mayor. Pero todos ustedes

necesitan saber la manera correcta de usar un pincel.

De repente, Violeta chasqueó los dedos y todos en el aula quedaron totalmente inmovilizados. Era como si Violeta los hubiera congelado.

Excepto a Mabel, que miró con horror a su alrededor.

—¡Descongélalos! —suplicó Mabel—. ¡Ahora mismo!

Violeta la miró sonriendo, parecía como si le tuviera lástima.

Entonces, volvió a chasquear los dedos.

La Sra. Worthing parpadeó y miró a su alrededor. Sacudió la cabeza y sin decir una palabra, le entregó nuevamente el pincel a Mabel. Estaba completamente limpio.

—Adelante, Mabel, haz una demostración —dijo la maestra—. ¿Qué estás esperando?

Capítulo trece

—¿Viste eso? —dijo Simone frotándose las manos.

—¿Ver qué? —dijo Mabel sin mirar a su amiga.

—Tú sabes.

—No, yo no sé —insistió Mabel tratando de parecer inocente.

—¿Tú sí lo viste, Violeta? —preguntó Simone.

—Uno, cinco, tres, seis, diez —Violeta contaba los pomos y los colores—, anaranjado, rojo, amarillo, rosado, verde... no, no vi nada.

—¡Ay! ¡Cómo me vas a decir que no te

diste cuenta! —preguntó otra vez Simone a Mabel.

Mabel destapó un pomo de pintura amarilla y escogió un pincel. Sus manos temblaban; no se suponía que los niños usaran la magia para enmendar errores.

Además, la Sra. Worthing se podía molestar.

—¡*Ese* pincel! —dijo Simone fijando la vista.

Violeta parecía saber lo que estaba haciendo. Y Mabel no tenía duda de que su hermanita estaba bajo control.

Mabel mojó muy rápido el pincel en el pomo de pintura. Se suponía que estaban pintando un mural, ¿no?

—Ese pincel estaba empapado de pintura y después no tenía ni una gota —dijo Simone lentamente—. Fue algo así como, bueno, por arte de magia.

—No digas tonterías —dijo Mabel entre dientes. Estaba comenzando a pintar la cabeza de una niña en la pared.

—No son tonterías —dijo Simone—. ¿Y por qué comenzaste a pintar el mural sin nosotras? Ni siquiera hemos acordado qué vamos a hacer.

—Pues vengan a pintar entonces —dijo Mabel desesperada por cambiar el tema de conversación—. Díganme sus ideas.

—Yo quiero pintar experimentos de ciencias —dijo Simone—: volcanes hechos con polvo de hornear, el sistema solar, rocas, cristales…

—Sí, es una buena idea —admitió Mabel—. Pero yo tengo una mejor: una ceremonia de premiación.

—¿Una ceremonia de premiación? No entiendo. ¿Por qué? —preguntó Simone.

—A nadie en el salón se le ha ocurrido esa idea —dijo Mabel—. Lo nuestro será especial, único y *muy* interesante.

Además, pensó, eso le dará una pista a la Sra. Worthing. A lo mejor la premiaba a ella por ser la mejor coordinadora. O le daba un premio de conducta ejemplar. O un premio todavía mejor. Siempre contando con que Violeta no lo echara todo a perder antes.

—Bueno... —dijo Simone dudosa.

—Confía en mí, a la Sra. Worthing le encantará.

—Pero primero tenemos que preguntarle a Violeta —dijo Simone—. ¿Verdad, Violeta?

Violeta había dejado de contar los pomos de pintura y estaba recortando estrellas de papeles de colores.

—Quiero hacer un mural con marcadores mágicos. Quiero hacer dibujos con marcadores mágicos por toda la pared —dijo Violeta.

—No —respondió Mabel.

Se negaba a hacer cualquier cosa que incluyera la palabra *magia*.

—¿Hay algo especial que te guste de la escuela? —dijo Simone inclinándose.

—Dormir la siesta —respondió Violeta.

—¡Qué rico! —dijo Simone—. Pero sólo los niños de kindergarten duermen la siesta. Piensa en otra cosa que hagamos todos.

—¿Qué les parece una ceremonia de premiación fantástica? —volvió a decir Mabel—. Con botones, medallas, insignias, diplomas... Una ceremonia de premiación es algo que *todos* queremos —dijo mirando a Simone.

—Bueno... —dijo Violeta cortándole una punta a la estrella.

—Puedes dibujar estrellas en las insignias —dijo Mabel.

—¿Estrellas rojas? —dijo Violeta—. ¿Y anaranjadas, azules y púrpura?

—Del color que tú quieras.

—Un momento —dijo Simone—, ¿los experimentos de ciencias ya están descartados? Tenemos que llevar esto a votación.

—¡Ah, está bien! —dijo Mabel—. Yo voto por la ceremonia de premiación. Estoy segura de que será un éxito.

—Yo voto por el tema de ciencias —replicó Simone—. Violeta, tu voto es el desempate.

Violeta cortó la punta de otra estrella y la levantó diciendo:

—Creo... creo que... ¿ustedes creen que así está linda la estrella?

—Sí —dijo Simone—. Preciosa.

—¿Puedo hacer un colegio de estrellas? —preguntó recortando el papel.

—*Collage*, no, no puedes —dijo Mabel.

Su hermanita cerró los ojos.

—¿Entonces? —dijo Mabel—. ¿Por qué te decides? ¿Ciencias o premiación?

Violeta parecía estar meditando.

—Quiero el cereal de premiación —dijo—. Con estrellas y todo.

—¡Hurra! —dijo Mabel abrazando a su hermanita.

—¿Estás segura de que es una buena idea? —preguntó Simone.

—A la Sra. Worthing le encantará —repitió Mabel—. Te lo garantizo.

Capítulo catorce

Estaban dándole los últimos toques a su parte del mural. Mabel dio unos pasos atrás para admirar la obra.

Había pintado a una niña sobre un estrado. La niña tenía una medalla colgada en el cuello, una corona en la cabeza y una estatuilla dorada en las manos. La directora le estaba entregando un diploma con un sello dorado muy brillante.

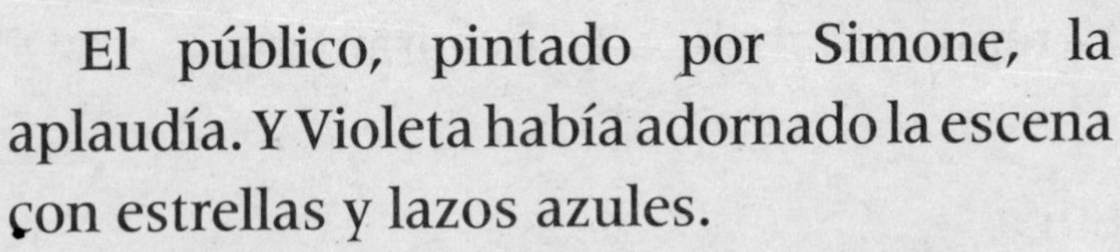

El público, pintado por Simone, la aplaudía. Y Violeta había adornado la escena con estrellas y lazos azules.

Un niño se acercó a mirar el mural. Lo

observó detalladamente, como si nunca antes hubiera visto algo parecido.

—¿Son las olimpiadas o algo por el estilo, verdad?

—Es una ceremonia de premiación —dijo Mabel.

—¿Es una qué? —preguntó el niño boquiabierto.

—Una ceremonia donde dan premios por conducta ejemplar y ese tipo de cosas —explicó Mabel.

—Ah, me parece bien —dijo el niño alejándose.

—¿Viste? —dijo Simone—. Te lo advertí. Nadie va a entender de qué se trata.

—Pero claro que sí —insistió Mabel—. Ese niño es un poco tonto.

—Tú no entiendes, Mabel —dijo Simone moviendo la cabeza.

—Por supuesto que sí —dijo Mabel.

Caminó hasta la niña que estaba sentada en la mesa de al lado.

—¿Sabes lo que es esto? —preguntó señalando la ceremonia de premiación.

—Claro —respondió—. Es una obra de teatro.

—Mira bien —insistió Mabel.

—¿Una reunión de padres? —preguntó la niña.

—No.

—¡Ya! ¡Los Premios Óscar!

—Olvídalo —dijo Mabel frustrada.

Obviamente, nadie en ese salón había ganado un premio en su vida y, por lo visto, ni siquiera les importaba.

—¿Viste? ¿Viste? —dijo Simone.

—Espera que llegue la Sra. Worthing —dijo Mabel—. Ella sí va a saber qué es.

Simone negó con la cabeza.

—¿Y esto es..? —preguntó la Sra. Worthing minutos más tarde.

—Una ceremonia de premiación, Sra. Worthing.

La maestra observó detalladamente el

mural, luego señaló a la niña con la estatuilla dorada.

—Háblame de ella, por favor.

—Es la niña ganadora —explicó Mabel.

—¿Y qué fue lo que hizo? —preguntó la Sra. Worthing.

—Eh... —dijo Mabel. La verdad es que esa parte no la había pensado, pero rápidamente añadió—: Recibió un premio en general por, usted sabe, por todo. Ella es la mejor en todo —dijo.

—Ya veo —dijo la maestra—. ¿Y de quién fue la idea?

—Mía —dijo Mabel. Hizo una pausa. Quizás se estaba robando todo el crédito—. Simone y Violeta lo pintaron conmigo, por supuesto.

—Yo hice las estrellitas —dijo Violeta, que estaba sentada en el suelo recortando copos de nieve.

Simone estaba en silencio.

—Ya veo —repitió la Sra. Worthing.

Les sonrió a las tres niñas y pasó a ver el trabajo del siguiente equipo.

—¿No te lo dije? ¡Le encantó! —dijo Mabel entusiasmada.

—¿Tú crees? —preguntó Simone.

—Cómo no le va a gustar si es maravilloso —dijo sonriendo satisfecha—. Me muero de ganas de ver el premio que nos dará.

—Ella no mencionó nada de premios —dijo Simone.

—Ya lo verás —dijo Mabel. Pero de pronto, comenzó a sentirse inquieta.

Decidió dar una vuelta para ver qué habían hecho los demás. Después de recorrer el salón, se sintió peor.

El mural estaba lleno de escenas en la cafetería, el gimnasio, la biblioteca y el área de juego, con niños estudiando, leyendo, comiendo y jugando.

Todas eran escenas de lo que hacían los estudiantes en la escuela día a día.

A nadie se le ocurrió algo parecido a lo

que Mabel, Simone y Violeta habían pintado.

Mabel volvió corriendo a ver una vez más la ceremonia de premiación.

Hacía unos minutos estaba fascinada con su trabajo, pensaba que era algo extraordinario, pero ahora no estaba tan segura.

Su parte del mural no reflejaba la vida diaria en la escuela. Era simplemente una niña, sola, recibiendo un premio.

Simone se había dado cuenta desde el principio. Aunque nadie más sabía realmente de qué se trataba. Probablemente ni siquiera la Sra. Worthing.

Mabel no iba a recibir ningún premio, con suerte iba a pasar de grado. ¡Qué frustración!

—¿Qué pasa? —preguntó Violeta.

—¡Este mural! —soltó Mabel—. Nunca debimos haber pintado una ceremonia de premiación. Simone tenía razón.

Miró alrededor. Por suerte, Simone estaba en el otro extremo del salón. Mabel no estaba preparada para admitir frente a ella que había cometido un error.

—A mí me gusta —dijo Violeta—. Está lleno de estrellitas.

—Muchas gracias, Violeta —dijo Mabel acariciando a su hermanita—. Tú no tienes la culpa. Tú has sido una gran ayuda.

—Sí —asintió Violeta.

Mabel caminaba inquieta de un lado a otro.

—Lo único que quisiera es que nadie viniera a verlo —dijo desconsolada.

—Les va a encantar —dijo Violeta.

—No, no les va a gustar —respondió—. Va a estar en esta pared por años y años, hasta que tengamos bisnietos. ¡Y no hay manera de cambiarlo! —dijo hundiendo su cara entre las manos.

—Sí, hay una manera —dijo Violeta. Se levantó y apuntó con su dedito.

Capítulo quince

Mabel miró boquiabierta la ceremonia de premiación. Era la misma escena y al mismo tiempo era otra.

La niña seguía allí, pero ahora un enorme grupo de niños la acompañaba en el estrado.

Ya no era una niña sola la que recibía el premio. ¡Ahora estaba toda la escuela!

El público aplaudía, algunos padres filmaban con cámaras, y hasta había varios bebés.

—¡Es una ceremonia de graduación! —gritó Mabel—. ¡Violeta, eres un genio! —dijo abrazando a su hermanita.

—Lo arreglé por ti, Mabel.

—¡Hiciste un trabajo increíble! —dijo Mabel sin saber casi cómo agradecerle.

Violeta pudo haber convertido la ceremonia de premiación en un área de juego o una piscina o en pájaros saliendo de un pastel. Pero en lugar de eso, la transformó en la escena perfecta.

Su magia había salvado el mural y su calificación. Y, lo más importante, la opinión que la Sra. Worthing tenía de ella.

—¿Cómo sabías lo que era una ceremonia de graduación? —preguntó Mabel.

—Por Natasha —respondió Violeta.

Natasha era la prima mayor de Mabel y Violeta, y el año anterior habían asistido a su graduación de la secundaria.

"¿Cómo no se me había ocurrido antes?", pensó Mabel.

—¿No es una buena idea? —dijo Violeta.

—¡Sí, lo es! —asintió Mabel mientras pensaba que de ahora en adelante tendría que ser más amable con su hermanita.

Simone se paró detrás de ellas.

—¡El mural se ve espectacular! —dijo señalando el salón—. Ya vieron el...

Simone se quedó boquiabierta, sin aire, casi no podía ni hablar. Al fin, murmuró:

—¿Qué le pasó a nuestro mural?

—Violeta y yo hicimos algunos retoques.

—¿Retoques? —repitió Simone sin poder creer lo que veía—. Esos no fueron retoques. ¿Cómo pudieron hacer todo eso en cinco minutos?

—Porque somos rápidas.

Simone las bombardeó con preguntas:

—¿Dónde están los pinceles y los pomos de pintura? ¿Y los delantales? ¿Cómo tienen las manos tan limpias?

—Lo lavamos todo y lo colocamos en su lugar —dijo Mabel—. Queríamos darte una sorpresa. ¿No te gustó lo que hicimos?

—Ahora está mucho mejor —dijo Simone examinando el mural—. Representa mucho más las cosas que hacemos en la escuela.

—La idea fue mía —aclaró Violeta.

Simone movía los labios como si fuera a soltar otra ronda de preguntas. Pero sólo dijo:

—¿Quién hizo la fila de niños en el estrado?

—Yo —respondieron Mabel y Violeta al mismo tiempo.

—O sea, quise decir Violeta —dijo Mabel.

—Fue Mabel —dijo Violeta.

—Ustedes se traen algo entre manos —dijo Simone—. Y a mí me gustaría saber qué es.

—Lo hicimos entre las dos —dijo Violeta.

—Exacto, eso fue lo que hicimos —dijo Mabel pasando el brazo sobre el hombro de su hermanita.

—A la Sra. Worthing le encantará —dijo Violeta—. Verás qué buena calificación nos dará.

—¿Eso te lo dijo Mabel? —preguntó Simone.

—Yo lo sé —respondió Violeta muy segura.

—Tú sabes, ¿verdad? —agregó Mabel.

—Nunca las voy a entender a ustedes dos —dijo Simone.

Capítulo dieciséis

—¡Cielos! —dijo la Sra. Worthing—. Han mejorado muchísimo este mural.

Mabel sonrió satisfecha.

—Fue idea de Violeta —dijo Mabel dándole unas palmaditas en la espalda a su hermanita—. Ella es demasiado inteligente para tener cinco años.

Violeta estaba muy ocupada recortando papeles y pegándoselos en el cabello.

—Quise decir, *algunas veces* —añadió Mabel.

La Sra. Worthing se acercó.

—Mabel, has sido una gran ayuda en este proyecto del mural y has sabido trabajar muy bien con tu hermanita. ¡No siempre es fácil trabajar con un hermano o una hermana en equipo!

"¡Ja! ¡Si usted supiera!", pensó Mabel.

—Estoy muy feliz de tenerte a ti y a Simone en mi salón —dijo la maestra—. Las dos tienen muy buena actitud. Será un año inolvidable.

—Lo será —agregó Mabel sonriendo a su amiga.

Simone apenas había hablado, pero también parecía satisfecha.

"¿Quién iba a decir que la magia de Violeta fuera tan útil? —pensó Mabel—. ¿Quién iba a decir que Violeta fuera tan útil?"

En realidad, sólo había metido la pata un par de veces. ¿No era tanto, verdad?

Violeta y su magia representaban un millón de posibilidades y estaba segura de que en el futuro la magia de su hermanita podría serle de mucha ayuda.

—Chicos, saquen sus cuadernos —anunció la Sra. Worthing—. Artistas invitados, esperen tranquilos a que sus maestros vengan por ustedes.

Mabel estaba sacando su cuaderno azul claro cuando una mariposa pasó por delante de su cara. Sin darse cuenta, la espantó.

—Vamos a escribir un ensayo sobre el mural —dijo la Sra. Worthing—. ¿Qué han aprendido?

"Aprendí que mi hermana Violeta no es mala —pensó Mabel—. En realidad, es maravillosa…"

Otra mariposa se le posó a Mabel en el hombro y un segundo después salió volando.

—¿Nuestro proyecto del mural los ha hecho ver la escuela de una manera diferente? —continuó la Sra. Worthing—. ¿Les gustó trabajar en equipo y pintar las paredes?

Varias mariposas revolotearon alrededor de la maestra.

—¿Qué es esto? —dijo la Sra. Worthing—. ¿Alguien dejó abierta la ventana?

Mabel se levantó enseguida a cerrarla.

—Gracias, Mabel —dijo la maestra mientras tomaba una tiza—. Deben escribir acerca de todas las personas que vendrán a ver el mural: sus amigos, sus padres y, a lo mejor algún día, sus hijos.

Una nube de mariposas comenzó a cubrir la pizarra.

—¡Esto es increíble! —exclamó la Sra. Worthing—. ¿Se habrán escapado de algún proyecto de ciencias?

Algo andaba mal. Mabel miró a su hermanita. Violeta estaba recortando mariposas de papeles de colores. Su tijera recortaba rápidamente, lanzando al aire una mariposa tras otra.

Por supuesto que no era ningún proyecto de ciencias; era magia. Tenía que haberse dado cuenta desde un principio.

Había mariposas por todas partes. Sus alas revoloteaban por todo el salón.

—Mejor llamo al conserje —dijo la maestra espantando a las mariposas.

—No se preocupe, maestra, yo puedo hacerme cargo —gritó Mabel.

Agarró del armario la red de cazar mariposas y miró a su hermana.

—¡Para! —susurró.

—Pero me estoy divirtiendo mucho —dijo Violeta.

—*¡Violeta!*

—Está bien —dijo Violeta rascándose la nariz.

Las mariposas comenzaron a volar hacia Mabel.

—Las atrapé —gritó Mabel sosteniendo la red.

Corrió hacia la ventana, la abrió y soltó las mariposas.

La Sra. Worthing regresó a su escritorio, sacó de un cajón una insignia azul de premio y se la dio a Mabel.

—Gracias, Sra. Worthing —dijo Mabel con orgullo mientras se ponía la insignia en la blusa.

Camino a su puesto, Mabel se detuvo un momento.

—No más diversión —susurró a su hermanita.

Una mariposita verde salió volando del cabello de Violeta.

—Está bien, Mabel.

Acerca de la autora

Anne Mazer se crió en una familia de escritores al norte de la ciudad de Nueva York, y recuerda levantarse cada mañana con el sonido de dos ruidosas máquinas de escribir. Le gustaban tanto los libros que algunas veces leía ¡hasta diez libros en un solo día! Ha escrito más de cuarenta libros para jóvenes, incluyendo la serie The Amazing Days of Abby Hayes y el libro ilustrado *The Salamander Room*. Para más información, visita la página de Anne, www.AmazingMazer.com.

Fotografía tomada por Mollie Futterman